Grado 1.3

Pearson Scott Foresman

Libritos de práctica de fonética 19A–30C

Volumen 3
Unidades 4 y 5

Scott Foresman
is an imprint of

Glenview, Illinois • Boston, Massachusetts • Chandler, Arizona
Upper Saddle River, New Jersey

ISBN-13: 978-0-328-49962-5
ISBN-10:   0-328-49962-5
9 10 V056 18 17 16 15

Contenido

UNIDAD 5

El sueño de Elsa

por Delia Etchegoimberry

Grupo consonántico *dr*

cocodrilos	cuadrada	cuadro	dragones
golondrinas	Isidro	ladraba	ladrillo
madre	madrugada	Pedro	piedra

Palabras de uso frecuente

casa	de	detrás	estaba
feliz	las	martes	muy
que	yo		

1

El martes soñé que jugaba
con mi madre en el jardín
de una casa enorme de piedra.

El lugar era lindo.
La casa tenía una cerca alta
de ladrillo.

La casa estaba adornada
con figuras muy simpáticas
de dragones y cocodrilos.

Las golondrinas volaban alrededor de la torre cuadrada de la casa.

El perro estaba conmigo.
Ladraba feliz detrás
de las golondrinas.

Yo esperaba que Isidro o Pedro
llegaran a jugar conmigo.

A la madrugada me desperté.
Vi que la casa de la torre cuadrada
estaba pintada en un cuadro
de mi recámara.

Fresas y frambuesas

por Sonia Otamendi

Grupo consonántico *fr*

Alfredo	enfrente	fragancia	frambuesa
frambuesas	Francisca	fresas	fresco
frutas	frutería	frutillas	refresco
resfriado			

Palabras de uso frecuente

casa	hay	las	más
me	no	qué	quiere
también	una		

9

Alfredo ve salir a su hermana
Francisca.
—¿Adónde vas, Francisca?
—A la frutería.

—¿Qué vas a comprar?
—Frutas, Alfredo.
—¿Qué frutas?
—Fresas y frambuesas.

—¿Fresas? ¿Sabes que las fresas también se llaman frutillas?
—No, no sabía.

Alfredo acompaña a Francisca.
—Vamos por la acera de enfrente.
Hay más sombra —dice Francisca.

En la frutería, Alfredo huele
las frutas y dice:
—¡Qué fragancia! ¿Sabes que
fragancia quiere decir "buen olor"?
—No, no sabía.

—¿Me das una frambuesa?
—pide Alfredo.
—Sí —dice Francisca—. ¡Achís!
Me parece que me he resfriado.

Francisca dice: —Vamos a casa.
Hagamos refresco de frambuesas.
¿Sabías que el jugo fresco tiene
vitaminas?

—No, no sabía —dice Alfredo.

Los mejores amigos

por Floria Jiménez

Grupo consonántico *dr*

| Andrea | dragón | dragona | dragones |
| madre | Pedro | | |

Grupo consonántico *fr*

disfraces   disfraz   disfraza   disfrazados   Francisco

Palabras de uso frecuente

amigos	de	dos
escuela	fiesta	hermano
jueves	martes	sábado
también		

Hoy sábado, Andrea se disfraza
de dragona.
—¡Qué linda! —le dice su madre.

El martes es la fiesta de disfraz.
Todos llegan con sus disfraces
a la escuela.

Pedro y Francisco también
van disfrazados de dragón.
¡Qué sorpresa!
—Somos dos dragones
y una dragona —dice Pedro.

El miércoles Andrea, Francisco
y Pedro deciden escribir un cuento
sobre dragones para presentarlo
a sus compañeros.

—Se va a llamar "Los mejores
amigos" —dice Francisco.
—Sí, me gusta —dice Pedro,
su hermano.

El jueves presentan el cuento.
—¡Nos gusta mucho!
—dicen todos al final.

Sí, Andrea, Francisco y Pedro
son los mejores amigos.

Lorenza

por Luisa Mª López Gómez

Grupo consonántico *tr*

cuatro	destroza	encontrar	estrellas
mientras	pupitre	trabaja	tranquila
través	traza	tréboles	trece
trenza	trepa	trigo	trino
triste	trombón	trompeta	tronco
tropieza	truchas		

Palabras de uso frecuente

color	con	del	el
es	gusta	la	lápiz
los	ve		

25

Tiene trece años Lorenza.
Del color del trigo es su trenza.

Sentada en su pupitre,
con un lápiz líneas traza
y canta mientras trabaja.

Sabe tocar la trompeta,
el trombón y la pandereta.

Le gusta caminar a través
del campo, encontrar tréboles
y mirar el tronco de los árboles.

En el arroyo ve saltar las truchas,
y de los pájaros su dulce trino
escucha.

A una pequeña colina trepa.
Tropieza, cae y destroza
su camiseta.

—¡No estés triste, Lorenza!
Mira esas cuatro estrellas.
Duerme tranquila.

Greta la fotógrafa

por Ana María Abello

Grupo consonántico *gr*

agradará	alegre	cangrejo	fotógrafa
grillo	gracias	gran	grandes
granja	granos	Greta	gris
gruñen	grupo	gruta	Ingrid
tigre			

Palabras de uso frecuente

al	en	feliz	gran
mar	muy	quiere	todos
ve	verde		

Greta se llama una gran fotógrafa.
Visita diversos lugares
en busca de fotos espectaculares.

Greta recorre la selva.
Ve un tigre de grandes rayas.
—Oye, tigre, no te vayas.

Greta toma fotos en la granja.
Las gallinas pican los granos
y en el lodo gruñen los marranos.

Greta va al bosque.
Ve un grillo verde y gris.
Si le toma una foto, queda feliz.

Greta va al circo.
Ve a Ingrid y a su grupo
de payasos.
Hacen muchas gracias
y le dan abrazos.

Greta muy alegre nada en el mar.
De una gruta sale un cangrejo.
Quiere una foto con el calamar.

Greta, la fotógrafa, famosa será.
Con sus lindas fotos a todos
agradará.

El tren

por Alejandro Zarur Osorio

Grupo consonántico *tr*

tradición	tren	trigo	trinan
trío	trombón	trompeta	trompo

Grupo consonántico *gr*

gracia	gran	granito	gratis
grita			

Palabras de uso frecuente

con	del	es	fiesta
gran	la	los	porque
también	un		

41

El tren lleva un granito de arroz.
Lo acompañan los músicos
porque es la tradición.

El tren lleva un granito de trigo.
Lo acompañan los músicos
con trompeta y con trombón.

El tren lleva un granito de maíz.
Lo acompañan los músicos
con un gran acordeón.

¡Un trompo anuncia
la gran fiesta del tren!

El tamal aplaude,
la tortilla grita
y la sopa se agita.

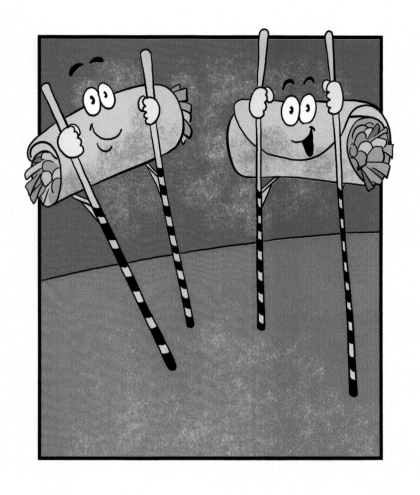

También llegan los tacos,
subidos en unos zancos.

Los pajaritos trinan con gracia.
Un trío de loritos canta gratis.
¡Es la gran fiesta del tren!

Mi poblado

por Maria Paula Vidal

Grupo consonántico *bl*

blanca	Blanca	blusa	cable
habla	nublado	Pablito	Pablo
poblado	saludable	tabla	

Palabras de uso frecuente

año	dice	ellos	hasta
hermano	mamá	mar	papá
para	yo		

Mi hermano Pablo y yo vivimos
en una casita blanca cerca del mar.
Nosotros somos felices con mamá
y papá.

Este año se formó un pequeño
poblado alrededor porque dicen
que el mar es saludable.
¡Además es tan divertido!

En la arena vemos muchas cosas.
¡Hasta una tabla y un cable
que trajo el mar!

Mamá nos dice que nos pongamos
protector solar.
Papá nos acompaña a bañarnos
cerca de la orilla y nos habla del mar.

Mamá me dice:
—Blanca, ponte la blusa
para que no te quemes.
—Sí, mamá. También le voy
a dar a Pablo su camiseta.

54

Al atardecer, ayudo con Pablito
a papá y a mamá.
Nos acostamos temprano.

—¿Quieren ir a la playa
con nosotros mañana?
—pregunta mamá a los vecinos.
Ellos contestan amablemente:
—No, mañana va a estar nublado.

Gladys y Glotón

por Carola de la Fuente

Grupo consonántico *gl*

gladiolos	Gladys	globo	glorieta
glosario	Glotón	inglés	renglón

Palabras de uso frecuente

clase	dice	donde	estoy
gusta	jugar	maestro	martes
no	por		

57

Gladys repasa el glosario de inglés,
renglón por renglón.
El martes tiene clase con el maestro.

A Gladys le gusta hacer la tarea
de inglés en la glorieta.
La glorieta está llena de gladiolos.

Su gato Glotón la mira
trepado a la glorieta.
Glotón está tapado por gladiolos.

—¡Glotón! —dice Gladys—.
Te estoy mirando.
¡No dañes los gladiolos!

—Toma un globo para jugar.
Pero no toques los gladiolos.
Juega en donde te pueda ver.

—Ay, Glotón, déjame repasar
el glosario de inglés.
Tú juega con el globo
y no subas a la glorieta.

Por fin Gladys sigue
con el glosario de inglés.
Glotón juega con su globo.

El globo blanco

por Carlos Ulloa

Grupo consonántico *bl*

blancas   blanco   bloques   blusas
neblina

Grupo consonántico *gl*

glaciares   gladiolos   globo   glorieta

Palabras de uso frecuente

aquí   de   el   en
entre   la   muchos   muy
todos   ve

El globo blanco vuela y vuela
por aquí y por allá.
¿Qué ve el globo blanco?

El globo blanco vuela y vuela
por aquí y por allá.
El globo blanco ve muchas blusas
blancas en la azotea.

El globo blanco vuela y vuela
por aquí y por allá.
El globo blanco ve muchos
gladiolos en el jardín.

El globo blanco vuela y vuela
por aquí y por allá.
El globo blanco ve muchos
niños en la glorieta.

El globo blanco vuela y vuela
por aquí y por allá.
El globo blanco ve muchos
bloques en el camión.

El globo blanco vuela y vuela
muy lejos de aquí.
El globo blanco ve muchos
glaciares entre la neblina.

El globo blanco sigue volando.
El globo blanco nos ve a todos
de cerca y de lejos.

Piedras y fósiles

por Delia Etchegoimberry

Diptongos *iu, io, ie, ia*

apatosaurios	bien	ciudad	diccionario
dinosaurios	hielo	información	invierno
Julio	mientras	miércoles	piedras
piensa	preciosas	quiere	semipreciosas
siempre	tiempo	tiene	

Palabras de uso frecuente

después	grandes	ir	lápiz
largo	las	luego	papel
quiere	ver		

Julio vive en el campo
y tiene un primo que vive
en una ciudad cercana.

Julio piensa ir de visita a la ciudad
el miércoles.
Quiere ir al museo a ver las piedras
y los fósiles.

Como era invierno, había mucho hielo
y el aire estaba muy frío.
Su mamá le dijo:
—Esperemos que venga la primavera
y el buen tiempo.

Julio pensó que las piedras
y los fósiles siempre estarían allí.

—Está bien, mamá —le contestó Julio—. Mientras tanto, voy a leer un diccionario sobre piedras preciosas y semipreciosas.

Luego buscó información sobre
los apatosaurios, esos dinosaurios
muy grandes con el cuello
muy largo.

Julio buscó un lápiz
y puso su nombre en un papel.
Después escribió sobre
lo que había leído.

Los días de Ana y Vicente

por Sonia Otamendi

Sufijo -mente

alegremente	alocadamente	animadamente	atentamente
constantemente	continuamente	correctamente	largamente
lentamente	mansamente	pacientemente	rápidamente
tranquilamente			

Palabras de uso frecuente

al	amigos	entre	familia
hermano	jueves	martes	más
se	todos		

81

Los lunes, Ana y Vicente
se sientan tranquilamente
a ver qué harán toda la semana.

Los martes sacan al perro.
Pipo corre alocadamente
por el parque florecido
y ladra continuamente.

Los miércoles van al río.
El río pasa rápidamente
y al llegar a la playa
se calma mansamente.

Los jueves por la mañana
enseñan pacientemente
a su hermano más chiquito
a comer correctamente.

Cuidan el jardín los viernes.
Andan constantemente
entre tiestos y macetas,
y los riegan largamente.

Los sábados, de paseo,
caminan lentamente,
y a los vecinos y amigos
saludan atentamente.

Los domingos la familia
se reúne alegremente.
Almuerzan todos juntos
y hablan animadamente.

El viento

por Floria Jiménez

Diptongos *iu, io, ie, ia*

canción	canciones	cielo	ciudad
graciosas	movió	quién	silenciosamente
sucedió	travieso	triunfante	viajar
vientecillo	viento	vio	

Sufijo *-mente*

silenciosamente

Palabras de uso frecuente

así	de	del	dijo
gran	jugar	mar	por
tarde	viento		

¿Dime, viento amigo, quién te vio
cantar en el cielo tu dulce canción?
¿De dónde sacas fuerza para viajar
sobre los tejados de la gran ciudad?

Corres por la calle
y mueves las hojas.
Travieso, me cantas
canciones graciosas.

A veces te quedas silenciosamente
sobre mi ventana así, de repente.

A veces, triunfante, te vas a jugar
con los caracoles a orillas del mar.

Viento, vientecillo,
¿qué te sucedió,
si eras tan pequeño
como un abejón?

Dijo el conejito que tarde te vio:
—¡Corramos que el viento
mi casa movió!

Dime, viento amigo,
así, de repente,
¿por qué no caminas
silenciosamente?

El cumpleaños de Josefrán

por Rafael Cruz-Contarini

Palabras compuestas

abrelatas	aguafiestas	autobús	balompié
blanquinegro	carricoche	Josefrán	malvarrosa
milhojas	pelirrojo	picaflor	sacacorchos
salvamantel	tocadiscos		

Palabras de uso frecuente

alto	amigos	después	día
estaba	fiesta	había	perro
todos	vez		

Había una vez un chico pelirrojo
y alto que se llamaba Josefrán.
Tenía un perro blanquinegro.

Un día celebró su cumpleaños
e invitó a sus amigos a la fiesta.

Alberto vino en tren en coche cama,
Víctor, en autobús desde la capital
y Luis, en un viejo carricoche.

Todo estaba listo: las sillas, la mesa,
el salvamantel, el abrelatas,
el sacacorchos y el tocadiscos.

De pronto, una abeja revoloteó
sobre el pastel de milhojas
y todos se asustaron.

Un picaflor que cantaba
sobre una malvarrosa del jardín
se acercó y espantó
a la aguafiestas con su pico.

Josefrán tranquilizó a sus amigos.
Después de merendar jugaron
al balompié en el parque.
¡Qué gran fiesta!

Los amigos del árbol

por Ana María Abello

Sufijos -oso, -osa

amistoso	amorosa	bondadosos	doloroso
Golosa	hermoso	maravilloso	Mimosa
Mitoso	Pecoso	primoroso	sabrosa
valeroso			

Palabras de uso frecuente

alto	amigos	del	feliz
hay	más	muy	pequeña
perro	silla		

En un árbol muy alto del bosque
vive un grupo amistoso de animalitos.

En una de sus ramas vive Pecoso,
un gusanito de seda primoroso.
En su silla teje y teje sin parar.

Más abajo vemos un panal hermoso.
Ahí vive Golosa, una abejita amorosa.
Golosa prepara una miel muy sabrosa.

En el tronco hay un hormiguero
maravilloso.
Mimosa, una pequeña hormiga,
sale a trabajar.

Mimosa camina alegre,
pero cae en una laguna.
Se escucha un quejido doloroso:
—¡Ay! ¡ay!

Mitoso, un perro valeroso,
pide ayuda.
Pecoso y Golosa llegan a la carrera.
En una hoja la sacan de la laguna.

La hormiguita Mimosa está feliz.
Otra vez vive en el árbol alto
con sus amigos bondadosos.

Un día grandioso

por Alejandro Zarur Osorio

Palabras compuestas

girasoles

Sufijos *-oso, -osa*

asombroso	curiosa	fabuloso	graciosa
grandioso	hermoso	luminoso	precioso

Palabras de uso frecuente

agua	al	con	del
día	hasta	los	mira
para	por		

Era un día fabuloso para los patos.
Era el cumpleaños de la patita Lita.
Mamá Pata miraba a su graciosa
patita.

Guiados por los girasoles,
juntos caminaron por
un camino precioso.
Fueron hasta un lago que tenía
un habitante luminoso.

Como regalo de cumpleaños,
Papá Pato y Mamá Pata llevaron
a su patita a conocerlo.
A la patita le pareció asombroso.

Curiosa, la patita corrió
y al agua se metió
para tocar al habitante
luminoso del lago.

—¡Es hermoso! ¡Es grandioso!
—gritó la patita.

Desde ese día, la patita,
mira, toca y juega con el Sol,
su nuevo amigo:

el habitante luminoso del lago.

Mi amiga Cristina

por María Paula Vidal

Grupo consonántico *cr*

crece	crema	creo	crespo
Crispín	Cristina	Cristóbal	crucen
cruz	escribir	recreo	

Palabras de uso frecuente

aquí	entre	feliz	gusta
más	muy	para	perro
sobre	yo		

121

—Ya terminamos de escribir
—dijo mi amiga Cristina—.
¿Podemos tomarnos un recreo
y salir a jugar, papi?

—Creo que hace mucho calor
—contestó Cristóbal, su papá.
—Más tarde, ¿podemos salir
con el perro al jardín?

El perro de mi amiga
se llama Crispín.
Es negro con una cruz blanca
entre las orejitas.
Tiene el pelo crespo.

El papá de Cristina por fin
nos dio permiso.

—Salgan, pero no crucen la calle.

Cristina y yo nos sentamos sobre
el pasto que crece en el jardín.
Crispín corre de aquí para allá
muy feliz.

—¿Quieren un batido? —nos pregunta
Cristóbal.

—Sí, papi, yo de cerezas con crema.

—De mango con piña, por favor

—digo yo.

—¿Y Crispín?

—No, Cristina, aunque le gusta
mucho, lo dulce le hace mal.

La hermanita

por Carola de la Fuente

Sufijos *-ito, -ita*

bebita	casita	chiquita	hermanita
hijito	Juanita	lapicito	Luisito
mamita	papito	pequeñita	primito
Rosita	sillita	suavecito	

Palabras de uso frecuente

bien	cuando	dice	es
feliz	fiesta	papel	pequeña
silla	sobre		

Aunque Luisito esperaba feliz
la llegada de su hermanita,
se sorprendió cuando vio
que era tan chiquita.

—¡Papi, papito, mi hermanita Rosita
es muy pequeña, muy pequeñita!

—Luisito, es una bebita
—dice el padre—.
Ven, hijito, bésala suavecito.

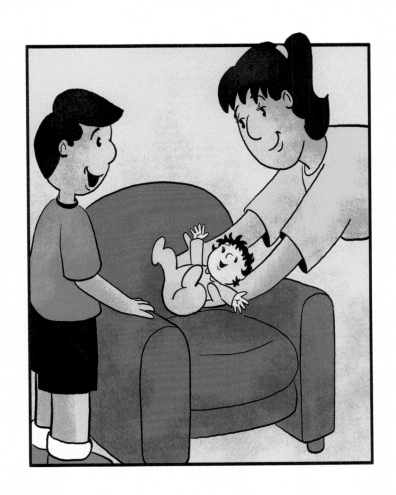

La madre sostiene a Rosita
sobre la silla de Luisito.
—Mami, mamita, mi silla
le queda grande.
Necesita una sillita.

—Bien, Luisito, piensa en algún lugar para poner la sillita de Rosita —dice la madre.

—Nuestra casa será su casita
—dice el papá—.
Le haremos una fiesta.
Invitaremos a Juanita
y también a tu primito.

Luisito feliz toma un lapicito
y una hoja de papel,
y escribe invitaciones para la fiesta.
Mira a Rosita y piensa:
"Es pequeñita pero es mi hermanita".

136

Mis abuelitos

por Carlos Ulloa

Grupo consonántico *cr*

crecer	crema	cristal
croquetas	crujiente	

Sufijos *-ito, -ita*

abuelita	abuelito	abuelitos
blandito	cafecito	

Palabras de uso frecuente

con	de	día	el
fiesta	gusta	hoy	las
los	todos		

137

Mi abuelito y mi abuelita
lo hacen todo juntos.

Mi abuelito se deja crecer la barba.
Mi abuelita se deja crecer el cabello.

Mi abuelita toma
su cafecito con crema.
Mi abuelito toma
su cafecito sin crema.

A mi abuelito le gusta
el pan crujiente.
A mi abuelita le gusta
el pan blandito.

Mi abuelito cocina
las croquetas de jamón.
Mi abuelita cocina
las croquetas de queso.

Mi abuelito saca
las copas de cristal.
Mi abuelita saca
los vasos de cristal.

Hoy es día de fiesta.
A mis abuelitos les gusta
que vengan todos a celebrar.

¿Y tú?

por Alicia Garay

Grupo consonántico *pl*

completar	complicado	cumple	cumples
planchar	plátano	platica	platicas
plato	pliegues	plomero	plumero

Palabras de uso frecuente

cómo	con	de	las
lo	los	por	su
tú	y		

Sara desayuna un plato
de cereales con leche y plátano.
Y tú, ¿qué desayunas tú?

Tim cumple lo que promete:
hace los deberes
cuando llega a casa.
Y tú, ¿qué cumples tú?

Después de la cena,
Juan limpia la mesa
con un plumero.
Y tú, ¿qué limpias tú?

Tanya ayuda a Mark a completar
un rompecabezas complicado.
Y tú, ¿cómo ayudas tú?

Sonia le da las gracias a su papá
por planchar los pliegues
de su uniforme.
Y tú, ¿por qué das las gracias tú?

Mario quiere ser plomero
cuando sea grande.
Y tú, ¿qué quieres ser tú?

Chuy platica con su abuelita
cuando regresa de la escuela.
Y tú, ¿con quién platicas tú?

152

En mi escuela

por Carlos Ulloa

Sufijos *-ando, -iendo*

caminando	comiendo	escribiendo
jugando	trabajando	

Palabras de uso frecuente

al	casa	del	escuela
la	los	mi	niños
por	veo		

En los pasillos de mi escuela,
veo a los niños caminando:
caminando al salón,
caminando al recreo,
caminando por toda la escuela.

154

En los salones de clase,
veo a los niños leyendo:
leyendo libros con la maestra,
leyendo libros en grupos,
leyendo libros interesantes.

Durante la hora del almuerzo,
veo a los niños comiendo:
comiendo hamburguesas,
comiendo ensalada,
comiendo burritos.

156

En el patio de recreo,
veo a los niños jugando:
jugando con las pelotas,
jugando con las cuerdas,
jugando todos juntos.

En los salones de clase,
veo a los niños trabajando:
trabajando con la maestra,
trabajando juntos,
trabajando solos.

158

Durante la clase,
veo a los niños escribiendo:
escribiendo con la maestra,
escribiendo en sus cuadernos,
escribiendo en las computadoras.

159

En los pasillos de mi escuela,
veo a los niños caminando:
caminando a casa con sus tareas.
caminando a casa con sus mochilas.
caminando a casa con sus amigos.

160

¡Ya cumplí cinco años!

por Ana María Abello Uribe

Grupo consonántico *pl*

aplastar   cumplas   cumplo   plan   planeta
plantas   platillos   playa   plena

Sufijos *-ando, -iendo*

cantando   corriendo   gritando   marchando
mirando   riendo   saltando   silbando

Palabras de uso frecuente

día   dijo   en   feliz
hermanas   mamá   más   me
un

Camilo saltó de la cama gritando:
—¡Hoy cumplo cinco años!

Sus hermanas entraron marchando.
—¡Que cumplas muchos más!
—dijeron en coro.

Camilo entró corriendo
a la habitación de sus padres
y los abrazó.
—Tu regalo será un día en la playa
—dijo su mamá.

¡Qué maravilloso plan!
Papá iba silbando
y los niños iban cantando.
Así llegaron a la playa.

Los niños se quedaron mirando
cinco caracoles en la arena.
Papá y mamá se quedaron mirando
cinco gaviotas en plena pesca
en el mar.

166

Hicieron cinco platillos voladores
con la arena de la playa.
—¡No los vayan a aplastar!
—pidió Camilo riendo.

Saltando se metieron al mar
con mamá. Vieron cinco
plantas de colores.
—¡Me siento el niño
más feliz del planeta!
—dijo Camilo saltando.
168

Flavio el flamenco

por Alicia Garay

Grupo consonántico *fl*

coliflor	flaco	flamenco	flan
flauta	Flavio	flecha	flecos
flexible	florecidos	flotan	pantuflas

Palabras de uso frecuente

agua	casa	color	de
gusta	los	que	un
una	ver		

Flavio el flamenco
es de color rosado.
Tiene el cuello flaco,
flexible y doblado.

170

Flavio el flamenco
viste un chaleco de flecos.

Flavio el flamenco
toca la flauta y el violín.

Flavio el flamenco
vuela como una flecha en el aire.

A Flavio el flamenco
le gusta ver los lirios
que flotan en el agua
y los campos florecidos.

Flavio el flamenco vuelve a casa,
se pone sus pantuflas
y cena ensalada de coliflor.

Y para terminar...
su postre favorito: ¡el flan!

Las escondidas

por Leda Schiavo

Sufijos -ado, -ada, -ido, -ida

bienvenida	cuidado	equivocada	escondida
escondidas	llovido	mojado	venido

Palabras de uso frecuente

bueno	casa	detrás
estoy	jugar	veo
voy		

—Julieta, ¡bienvenida!
¿Has venido a mi casa enojada?

—No, Marisa, estás equivocada.
Quiero jugar contigo.

—Bueno, juguemos
a las escondidas.

—¡Cuidado! El pasto está mojado.
Ha llovido mucho.

—Hola, hola, ¡ya estoy escondida!
A que no me encuentras...

—¡Te veo! Estás bien escondida
detrás del árbol,
pero como has hablado...

—Bueno, adiós, me voy
porque estoy cansada.

El domingo

por Patricia Abello

Sufijos *-ado, -ada, -ido, -ida*

batido	cepillado	comenzado	comida
dormido	hervido	ido	lavado
levantado	olido	pasado	regado
robado	salido	tendido	

Grupo consonántico *fl*

Flaco   Flavio   Flecha   Fleco
flores

Palabras de uso frecuente

al	casa	de	el
las	mamá	no	papá
porque	y		

185

El domingo ha comenzado
en la casa de los Flecha.
¿Será que podemos entrar
y saber lo que ha pasado?

Papá se levantó
y a la cocina se ha ido.
Las tortillas calentó
y el chocolate ha batido.

Mamá se levantó
y al jardín ha salido.
Al gatito Fleco le dio su comida
y las flores ya ha regado.

Natalia se levantó
y su cama ha tendido.
No se ha cepillado el pelo.
¿Será que no tiene espejo?

Flavio se levantó
y al baño solito ha ido.
Ya se ha lavado la cara
y piensa en el desayuno.

Flaco no se ha levantado.
Ha dormido y dormido.
¿Será que no ha olido
que el chocolate ya ha hervido?

El gatito Fleco entró
y un bocadito ha robado.
¿Será que papá lo dejó
porque hoy es domingo?

El sábado de Clemente

por Luisa Mª López Gómez

Grupo consonántico *cl*

aclamados	bicicleta	Clara	clarín
clarinete	claro	clase	clásica
claveles	clavicordio	Clemente	clínica
Clotilde	club	inclinada	mezclar

Palabras de uso frecuente

color	de	dos	es
hoy	muy	pronto	sábado
su	un		

Hoy es un bonito sábado.
El cielo está de color azul claro.

Clemente va a su clase de música.
Toca el clarinete.
Su amiga Clara toca el clavicordio.

Juntos tocan música clásica.
Les gusta mezclar sonidos.

Son dos músicos muy aclamados.
Cuando tocan en el club de música,
los aplauden y les regalan claveles.

Por la tarde Clemente pasea
en bicicleta con la tía Clotilde
por una colina muy inclinada.

De pronto, Clemente se cae
y se tuerce un tobillo.
La tía Clotilde lo lleva a una clínica.

Una doctora cura a Clemente.
La tía Clotilde le regala
un clarín de juguete
para que le pase el susto.

Cuento diferente

por Floria Jiménez

Sílaba tónica y acento ortográfico

Identifica la sílaba tónica de estas palabras. Luego lee las palabras con acento ortográfico.

acabo	agua	amigo	aquí	araña
ardillita	asoma	asustado	balón	bromas
camina	cañada	cansa	canta	cerca
cerros	cocina	corre	cuando	cuento
dentro	descansar	desentonada	detrás	dice
diferente	divertido	escuchó	esquina	esta
este	gato	gente	gozar	hace
hola	hormiga	horror	jugar	libro
llega	maromas	monita	muchacha	para
pequeña	quiere	rana	ratón	sacudir
salta	sapo	sobre	sopla	taza
Titina	trabajar	una	venga	viento
vive				

Palabras de uso frecuente

dentro	detrás	dice	jugar
muy	para	que	quiere
sobre	viento		

Éste es un cuento muy diferente.
Que es divertido, dice la gente.

Dentro del libro vive un ratón
que salta y corre detrás del balón:
—¡Hola, don Gato!, ¿quiere jugar?
Venga, mi amigo, para gozar.

Dentro del libro sopla el viento
y el Sol se asoma sobre los cerros.
Una ardillita hace maromas
y una monita hace bromas.

En la cocina de esta muchacha
vive Titina, la araña.
—Hola, pequeña, ¿se quiere ir?
¿No ve que acabo de sacudir?

En la esquina de la cocina
una hormiga camina y camina.
Cuando se cansa de trabajar,
en una taza va a descansar.

Cerca del agua de la cañada
canta la rana desentonada.
Un sapo que la escuchó
dice asustado: "Rana, ¡qué horror!".

Éste es un cuento muy diferente.
Que es divertido, dice la gente.
Y este cuento aquí llega a su fin.

Vamos al campo

por Floria Jiménez

Sílaba tónica y acento ortográfico

Identifica la sílaba tónica de estas palabras. Luego lee las palabras con acento ortográfico.

ahora	bandada	camino	campo	casa
después	día	dice	domingo	ella
ese	estudiar	gusta	jugar	llevas
mami	mamita	merendar	mira	montaña
ovejas	pajarito	rebaño	será	vamos
venir				

Grupo consonántico *cl*

Clara	clarinete	clases	clima

Palabras de uso frecuente

con	después	día	dice
es	hay	hoy	jugar
mar	por		

Hoy es domingo:
día de jugar.
No hay clases.

—Mami, mamita,
vamos al mar.

Mami me dice:
—Después será.
Vamos al campo.
El clima está muy bonito.

Por el camino vi la montaña
y un pajarito con su bandada.

—Mami, me gusta
venir al campo.
Mira ese rebaño de ovejas.

—Ahora a la casa y a merendar.
—¿Mami, me llevas a ver el mar?

Ella me dice:
—Después será.
Ahora, Clara,
vas a estudiar y practicar tu
clarinete.

216

¡Vacaciones!

por María Leticia Vidal

Hiatos *ae, ao, ea, ee, eo, oa, oe, oo*

anteojos	balneario	broncearse	cacao
canoas	cereales	clarear	lee
marea	moldean	museo	océano
oleaje	pasean	paseo	poesía
veranear	veraneo	Zoe	

Palabras de uso frecuente

al	con	del	día
es	familia	gusta	mamá
papá	para		

Es verano.
Zoe va de veraneo con su familia.
Le gusta veranear cerca del océano.

Al clarear el día van al balneario.
La mamá lee un libro de poesía.

El papá y Zoe se mojan
con el oleaje.
Moldean la arena con un cubo.

Todos se ponen anteojos de sol.
Para no broncearse mucho,
regresan a la casa.

Zoe dice:

—¿Se terminó el paseo?

Mamá contesta:

—No, más tarde podemos ir al museo
o al puerto a ver las canoas.

222

Papá dice:
—Pero antes, ¡a bañarse!
¡Y a tomar leche con cacao
y cereales!

De tarde, pasean por la orilla
cuando baja la marea.

Juegan, estudian y sueñan

por Sonia Otamendi

Diptongos *ua, ue, ui, eu, au*

agua	aula	Aureliano	autito
caucho	Claudia	cuántos	cuenta
cuerda	cuesta	duele	duerme
escuela	estatuas	Eugenia	Eulalia
flauta	igual	Juan	juega
juegan	Laura	Manuel	muela
muestra	paraguas	Paula	piragua
pueblo	rueda	sueña	sueñan
vuela			

Palabras de uso frecuente

agua	con	de	el
en	escuela	hay	niños
pero	y		

Los niños de mi pueblo
juegan, estudian y sueñan.

Aureliano juega en el agua
con su piragua de caucho.

Eugenia estudia baile
y acrobacia en la escuela.
En el aula, Eulalia
estudia el piano
y Juan estudia la flauta.

María y Manuel
juegan a las estatuas.
Santiago cuenta cuántos
juguetes hay en el baúl.

A Mariano le duele una muela,
pero igual rueda su autito
por la cuesta, atado con
una cuerda.

Laura muestra
su paraguas a Paula.
Claudia estudia italiano
y sueña con viajar a Italia.

Marcia duerme.
Sueña que vuela por el aire.

El acuerdo de Aurora y Beatriz

por Carola de la Fuente

Hiatos *ae, ao, ea, ee, eo, oa, oe, oo*

cae	caos	creer	crea	cooperar
feo	poemas	toalla		

Diptongos *ua, ue, ui, eu, au*

abuelos	acuerdo	Aurora	cuaderno	cuando
cuente	cuentos	cuerda	cueste	cueva
esfuerzo	fue	guardar	guardé	guardemos
guardó	juego	nuestra	nueva	peor

Palabras de uso frecuente

dijo	el	en	estaba	hay
los	mamá	muy	que	se

Mamá casi se cae.
Pisó una toalla
que estaba en el piso.

—¡Esta habitación es un caos!
¡Aurora y Beatriz, a guardar!
¡Cuando les cuente a los abuelos
no lo van a poder creer!
¡Es que no hay quién lo crea!

Aurora guardó las medias.
Yo guardé mi cuaderno
de cuentos y poemas,
los juegos, la cuerda
y… ¡la toalla!

Mi hermana dijo:
—Beatriz, tenemos que cambiar.
Lo que pasó es muy feo.

—Tenemos que cooperar.
Hay que guardar todos los días.

—Sí, Aurora, es cierto.
Nuestra habitación
parecía una cueva.
Aunque nos cueste esfuerzo,
guardemos a diario.

Aurora y Beatriz sienten
alegría por el acuerdo.
—¡Nuestra habitación
parece nueva!

Camino a la escuela

por Sol Robledo

Diptongos *ai, ay, oi, oy, ei, ey*

aire	ay	baile	caiga
estoy	hoy	oigo	paisaje
peiné	reina	rey	voy

Palabras de uso frecuente

escuela	estoy	gran	gusta
hoy	pero	se	sobre
una	y		

Hoy, como todas las mañanas,
camino a mi escuela voy.

Hoy, como todas las mañanas,
me lavé la cara, me peiné
y desayuné.

Estoy contento.
Oigo el canto de los pájaros
en los árboles.
Me gusta sentir el aire
en la cara.

244

Mientras camino, pienso
en el libro que leímos ayer.
Es sobre una reina y un rey.

Los reyes van a un gran baile,
el rey se tropieza
y casi tiene una caída.
¡Ay, qué susto!

Pero la reina lo sostiene
para que no se caiga.
Ojalá leamos otro libro
tan bueno hoy.

Hoy, cuando salga de la escuela,
veré otra vez el paisaje
que me gusta.

Cuando sea grande

por Ana María Abello

Raíces de las palabras

alimentar, alimentos
cocinar, cocinera
flores, florecerían
medicina, médica
peluquera
regar, regadera

astros, astronauta
dientes, dentista
jardines, jardinera
peinar, peinados
profesiones, profesional

Palabras de uso frecuente

flores	gran	gusta	la
más	para	pequeña	que
tres	y		

249

La medicina debo tomar
para mi tos aliviar.
Me gustaría ser médica
para los enfermos curar.

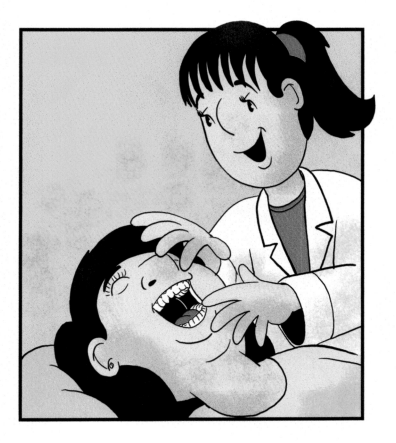

Para tener dientes sanos,
tres veces al día
los debo cepillar.
Cuando grande,
quiero ser dentista
y los dientes arreglar.

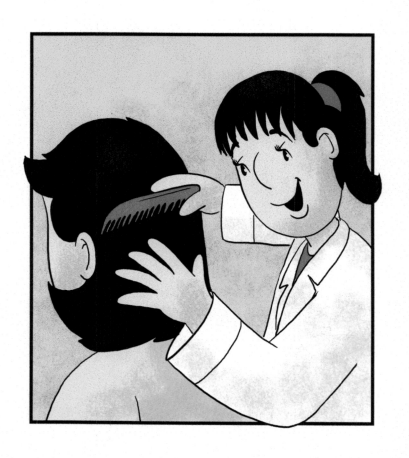

Me gusta peinar y cepillar
el cabello de mamá.
Quisiera ser peluquera
y peinados lindos inventar.

Me gusta regar las flores
con mi pequeña regadera.
Si yo fuera jardinera,
florecerían los jardines
en primavera.

Me gustan el Sol y las estrellas.
Son astros que dan luz al planeta.
Si yo fuera astronauta,
los visitaría más rápido
que un cometa.

Con frutas, carnes y verduras
me quiero alimentar.
Quisiera ser cocinera
y ricos alimentos cocinar.

Me gustan todas las profesiones,
quiero ser una gran profesional.
Mejor me voy para la escuela
muy contenta a estudiar.

Soy el aire

por Patricia Abello

Raíces de las palabras

dentro, adentro   mueve, movimiento, mover
natural, naturaleza   respiras, respirar
sientes, sentir

Diptongos *ai, ay, oi, oy, ei, ey*

aire   estoy   oirás   soy

Palabras de uso frecuente

afuera   agua   del   dentro
estoy   hay   los   me
no   ser

257

Soy el aire que respiras.
Aunque no me ves, me sientes.
Al respirar, puedes sentir
que tu pecho se mueve.

Si estoy en movimiento,
me convierto en viento.
Hago mover tu pelo
y los papalotes en el cielo.

Hago mover las ramas del árbol
y el agua que hay en el lago.

Estoy dentro del globo y del balón.
Por ser un gas, tomo la forma
del lugar donde estoy.

Aunque no me ves, me oyes.
Me oirás si el viento sopla.
Me oirás al inflar un globo.

Soy el aire que te rodea.
Estoy adentro y afuera,
en tu casa y tu patio
en la ciudad y el campo.

Soy un recurso natural,
como el agua, la luz del Sol
y la tierra.
¡Soy parte de la naturaleza!

La escuelita

por Leda Schiavo

Prefijos *in-, im-*

impaciente	impar	imperfecto	imprudente
inacabado	incapaz	incómodo	inmóvil
inquieto			

Palabras de uso frecuente

ahora	bueno	decir	hacer
lo	muy	perro	poco
soy	y		

—Bueno, yo soy la maestra.
¿Qué quiere decir lo que
escribo en el pizarrón?

—Uy, no sé...
—¡Yo, sí! Quiere decir
que no es capaz de hacer algo.

—Muy bien. Ahora...
¿Qué quiere decir *inmóvil?*
—Que no se mueve.
Como el perro, míralo.

—Excelente. Ahora miren.
El dibujo está...
—Inacabado, imperfecto.
Le faltan las orejas.

—Bien. ¿Y un chico
que se sube a un árbol es...?
—¡Imprudente!
—¿Y lo contrario de *par* es...?
—¡Impar!

—Maestra, ¿ya podemos
merendar?
—No seas impaciente, Lola.
Espera un poco.

—Maestra, mira, José está inquieto.
—Bueno, es porque está incómodo.
Ahora vamos a merendar.

La ovejita descontenta

por Daniela Martínez Vidal

Prefijos *des-, re-*

desagradables	desaprovecharé	descansemos
descontenta	desenredar	deshacer
reanimó	reaparecerá	rebajar
recortado	recortas	refrescar

Palabras de uso frecuente

estaba	estoy	feliz	había
más	muchacha	poco	porque
voy	y		

La ovejita estaba descontenta
porque tenía mucha lana.
No se la podía desenredar.
"¡Qué enredada estoy!", pensaba.

Otras ovejitas tenían menos lana.
Se la había recortado Blanquita,
la muchacha que las cuidaba.

—Hola, Blanquita.
No quiero estar tan enredada.
¿Me puedes rebajar un poco de lana?
¿Y también deshacer estos nudos
tan desagradables? —dijo la ovejita.

276

Blanca le dijo:
—Te voy a esquilar
con mucho cuidado
y te vas a refrescar
en el verano.

—En el invierno no tendrás frío:
reaparecerá tu lana más blanca
y suave que nunca.

—¿Y tú qué harás con la lana
que me recortas?
—No la desaprovecharé.
Tejeré mantas para que todos
descansemos abrigados.

De este modo,
la ovejita descontenta
se reanimó y volvió
a estar feliz.

De excursión

por Sonia Otamendi

Prefijos *in-, im–*

imposible   insoportable   invisible

Prefijos *des-, re-*

desabriguemos   desaniman   desaparece   descalcemos
descansadas   descongelan   desenrollan deshabitada
reaniman   reaparece   redoblan   resoplan

Palabras de uso frecuente

día   dice   entre   fin
fuego hasta   mamá   ni
no   para

Ana y Luisa están de excursión.
El Sol aparece y desaparece.
Cuando desaparece entre las nubes,
el frío es insoportable.

Cuando el Sol reaparece,
Luisa y Ana se reaniman
y redoblan el paso.

El Sol es invisible tras las nubes.
Ana y Luisa se alegran de llegar
a una cabaña para excursionistas.

La cabaña está deshabitada.
—No nos descalcemos
ni nos desabriguemos.
Aquí también hace mucho frío
—dice Luisa, la mamá.

Es casi imposible
encender el fuego.
Luisa y Ana soplan y resoplan.
No se desaniman hasta que
por fin el fuego arde
en la chimenea.

Ana y Luisa se descongelan.
Desenrollan sus sacos de dormir
y se acuestan.

A la mañana siguiente,
Ana y Luisa están descansadas.
El Sol brilla.
¡Qué buen día para la excursión!